츠가이

6

Hiromu Arakawa

황천의 츠가이

등장인물

지난 줄거리

일본의 어느 산속에서 밤과 낮을 양분하는 쌍둥이로 태어난 소년, 유르. 쌍둥이 여동생, 아사가 고향 마을을 급습하며 평온한 생활은 끝을 고한다. 좌우 님을 거느린 츠가이 구사자가 된 유르는 하계로 내려오고, 부모님의 행방을 찾기 시작한다. 인질을 잡은 이반이 지정한 장소에 도착한 유르는 돌연히 츠가이에게 납치당한다. 한편, 이반과 충돌한 좌우 님은 이반의 칼에서 유르 부모님의 피 냄새를 맡게 되는데...?

츠가이란

'쌍을 이루는 존재' 유령, 요괴, 괴물, UMA, 이형 등 다양하게 불리는 한 쌍의 존재.
어느 것이나 주인을 갖지만, 그 성격과 행동은 천차만별.
츠가이를 거느린 주인은 츠가이 구사자라고 불린다.

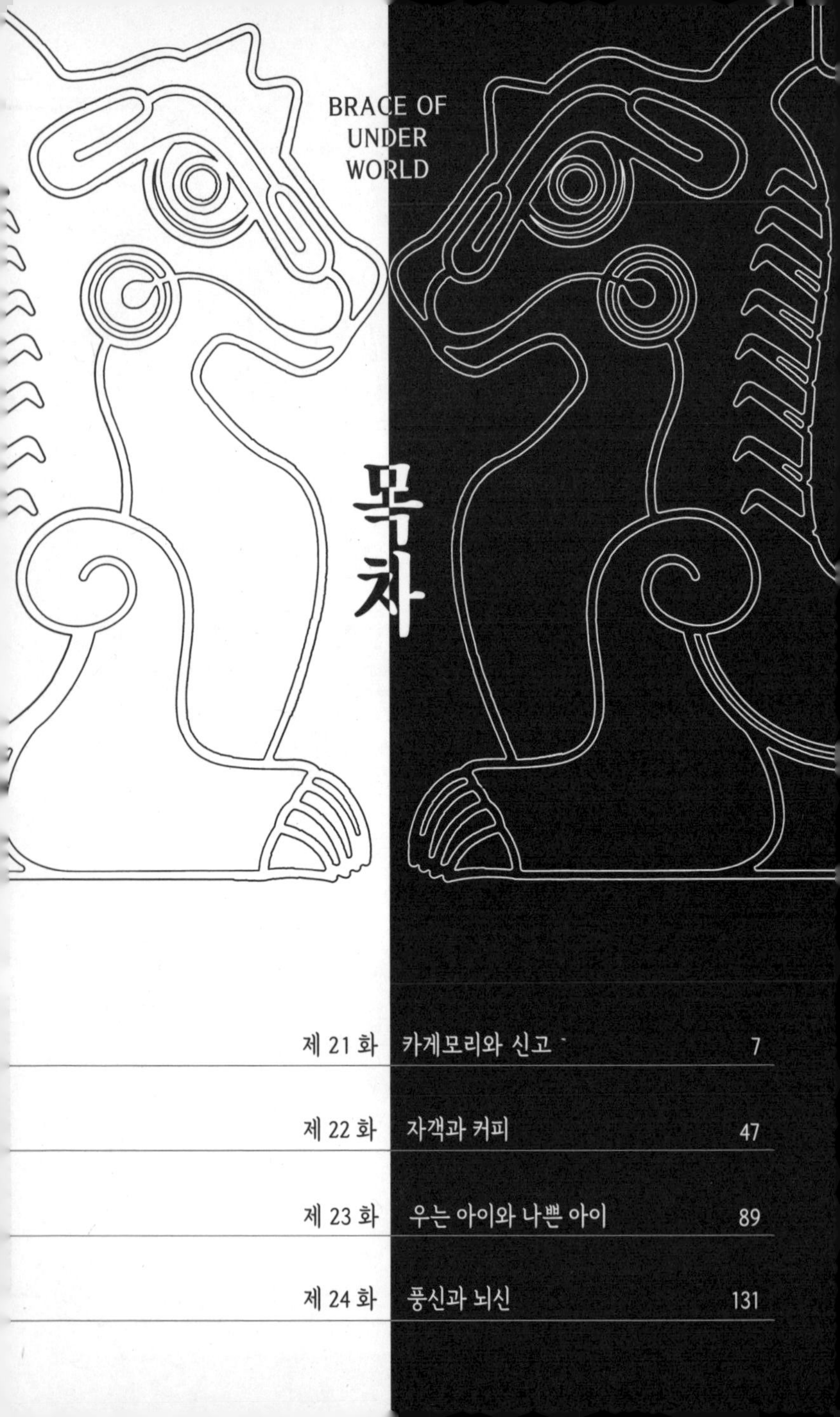

목차

제 21 화 카게모리와 신고

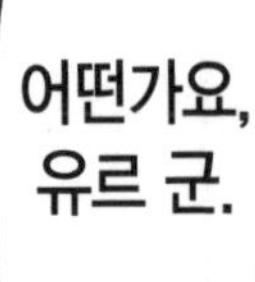
어떤가요,
유르 군.
한 번
죽어보지
않을래요?

…네 손으로
죽일 거냐?

유르 군이
직접
선택하는 쪽이
뒤탈이 없을 것
같네요.

카게모리 당주의 지시냐?
아뇨.
전 아버지와는 생각이 달라요.

카게모리 본가는 일 처리가 너무 미지근하다고.
아, 이 사람은 제 어머니의 오빠입니다.
신고 씨라고 해요.

너,
이제 히가시무라에 있을 곳도 없지?

부모는 마을에서 도망쳤고
여동생도 도망쳤지, 덤으로 히가시무라 놈들 손에 한 번 죽은 데다가.
네 목숨도 수없이 노렸어.

이제 히가시무라에 네 자리는 없단 말이다.

어때, 신고 가문으로 오는 게.
나쁘게 대하진 않으마.

마을 아이들을 인질로 잡고 내가 죽기를 원하는 놈을 믿으라고?
인질이라도 안 잡으면 넌 마구 날뛸 거 아냐!

10

걱정 마.
가짜 아사랑 마을 꼬마에게 감시를 붙여 두긴 했지만 건드리진 않았으니까.

물론 난 네가 죽었으면 좋겠어!
죽었으면 좋겠지만 말이다!
백부님, 너무 직설적이에요.

암튼 납득하고 죽어줘.
알겠지!
퍽이나.

'기도사' 라고 있지?
덩치 큰 양반.
야마 씨?
가끔 마을에 와서 환자들을 치료해 줬어.

너한테 '산적'을 보낸 게 그놈이다.

지금 널 보호하고 있는 타데라도 기도사 가게에 들락날락거리던데.
믿을 수 있겠어?

히가시무라의
어른들은
네게 '봉(封)'에
대해서 숨기고
호시탐탐 목숨을
노렸단 말이다.
그런
놈들에게
의리를
지킬 필요가
있어?
네쪽에서
확 연을
끊어버려!

그딴 마을은
필요 없잖아!

연을 끊으라든지,
필요 없다든지
그런 말씀은
하지 마세요,
백부님.

이 세상에
불필요한 건
없어요.

'해'도 '봉'도
그걸 낳는
히가시무라도
있어도 됩니다.
존재를
부정해서는
안 돼요.

'너는
이 세상에
필요
없다.'

히가시무라,
카게모리 내부에
각자의 의견이
있는 것처럼
신고 내부에도
다양한 생각이
있답니다.
너희는
같은 신고인데
의견 통일이
안 된 거야?

우리 쪽으로
오겠다면
원하는 걸
최대한
준비해주마.

조직의
모든 구성원이
완전히
동일한 생각을
갖는 것도
좋지 않아요.
선택받은
힘을 가진 자는
그에 걸맞은 조직 아래에서
힘을 유감없이
발휘해야 한다, 라고
생각한다는 점에서
신고 가문은
통일되어 있죠.

돈이든 뭐든 원하는 게 있다면 얘기해.

……내가 원하는 건 카게모리 저택에서 얘기한 대로야.

평범하게 살 수만 있다면 더 바라는 건 없어.

사냥하고, 밭을 일구고, 숯을 구우며
그저 평범하게 살고 싶어.

빨리
부모님을
찾아서….
……
아사도
…

…
아사도
책무의 방 같은
비좁은 세계에서
해방해주고
싶어.

난 그저 평범하게 모두와 웃으며 살고 싶을 뿐이라고.
그대, 유르의 부모를 베었군?

그대가
벤 것인지,
아니면
그 츠가이의
예전 주인이
벤 것인지는
모르겠지만
아무튼
그놈들에게서
미네와 나기사의
피 냄새가 나.

글쎄?
워낙
많이 베어서
누가
누구인지.
모르는
척이냐.

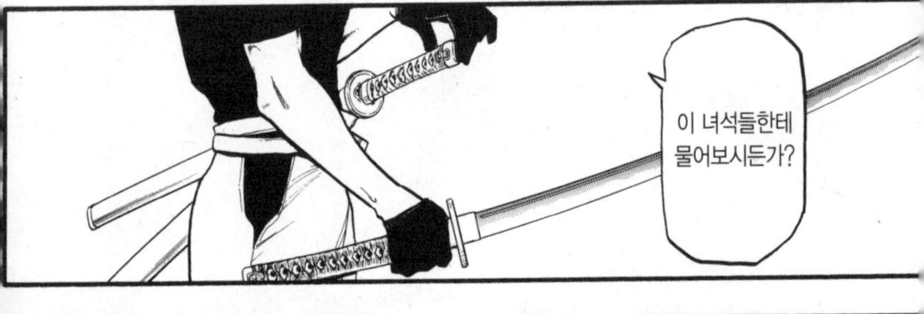
이 녀석들한테
물어보시든가?

데라,
가서
유르를
찾게.
우리는
이 사내와
츠가이를
생포하지.
유르에게
줄 선물로.

……
알았어.
탕
타앙
후두두두
어딜 쏘는…
투욱

타닥
!

나중에 보자고.
전기를 아낍시다
요상한 치한 씨.
딸깍

파
아
야

…저 자식
…
눈부신 곳에
내 눈을
적응시킨 후,
어둠 속에서
공격하기냐.

좌우 님은
어둠 속에서도
냄새를 따라
움직일 수
있던가.
우와,
귀찮게
됐네.

기세로 알았다고 하긴 했는데…

어디부터 찾아야 하는 거지?!
넓어!!

애초에 이 창고 지대에 있긴 한 거야?!

…
타데라냐.

어,
'산적'
이군.

죽나?
안
죽어.
나 빼고
전부
죽었지만.

칼 츠가이
구사자를
만났어?
그래,
위험한
녀석이더라.

왜 여기 있는 거냐, 타데라.
네겐 이번 일을 안 알렸는데.
보아하니 '매장인'이 얘기했군?
엉? 뭔 소리지? 하나?
태연

산적 중에 내게 정보를 제공하던 녀석이 있어.
저쪽 창고에 굴러다니고 있지만.
젠장… 입이 가벼운 녀석이 있었나!
※거짓말
※죽은 자는 말이 없다

가짜 아사와 마을 아이를 구하겠다고 유르도 같이 왔는데, 까마귀처럼 생긴 츠가이한테 납치당했어.
납치…
너 제정신이냐!! 유르는 왜 데려온 거야?!

여기저기서 쌍둥이의 죽음을 바라고 있어.
유르는 자기 나름대로 믿고 싶은 걸 필사적으로 찾는 중이라고.

너희 '산적'이 유르를 암살하려고 했다는 거.
그 녀석은 이미 눈치챘어.

너도 이쪽 인간이잖아, 타데라!
이제 와서 유르 편에 서는 거냐!
그래. 나도 그 녀석에게 숨겨온 게 많은 만큼
유르가 전적으로 믿어줄 거라고 생각하진 않아.

그래도 뭐, 많은 걸 겪었거든.
지금까진 일이라는 이유로 눈 귀 틀어막고 모르는 척했는데, 난 이쯤에서 방침을 전환하련다.

히가시무라를 배신할 셈이냐?!
배신하는 게 아냐.
앞으로 유르만 안 건드린다면 난 너희와 싸울 생각 없어.

400년
만의
쌍둥이야.
'해(解)'와
'봉'이 모이면
우리 히가시무라가
천하를 차지할 수
있다고!

어린애 둘의
인생을 제물로
차지할 수 있는
천하에서
거들먹거리는
아저씨가 되고 싶진
않단 말이다
나는.

―얘기는
나중에
마저 하고,
유르나
찾자.

여기 오기 전에
지명한 장소였던
창고의 주인을
조사했어.
뭐 좀
나왔어?

소유주는
TT 물류.
그 모회사가
신고 화물.
FM-1

카게모리의
친족 중에
신고라는
일족이
있어.
당주
곤조의 차남인
아스마의
모계 쪽이지.
이 일대에
신고 명의로 된
건은
다 알아뒀어.
FM-6

※마메=콩알, 가라스(카라스)=까마귀.

※가니마타=밭장다리, 우치마타=안짱다리.

넌
츠가이가
없냐?
미안,
도움이
안 돼서.

이 녀석들이
보인다면
너도 츠가이를
써본 적이
있다는 건데.
새로운
녀석이랑
계약
안 해?

빤
안 해?
음~….

뭐,
조만간
좋은 연이
생긴다면야.

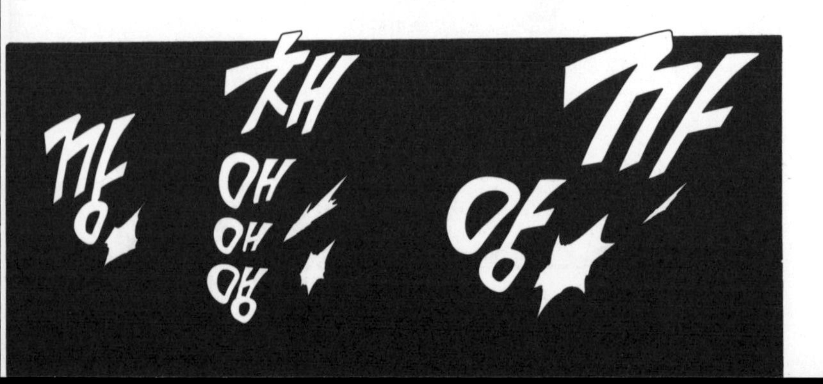
까양
채애애앵
깡

쾅

챠아아아앗

꾸물대지
마라,
원숭이!!
저쪽이
날 죽일
마음이
없는 만큼
성가시다고.

후우….
어둠에
조금
익숙해
졌군.

차라리 살기를 드러내면 공격을 읽기 쉬운데 말야.

난 왼쪽 씨만 지명했는데,
왜 오른쪽 씨까지 끼어드는 거야?

2대 1은 비겁하지 않나?
사람도 아니야!
주인이 울겠다!
사람이 아닐 뿐더러
유르도 신경 안 쓸걸.

야만족 ….
쯧

밖에서 싸우고 싶지만 이쪽 출구도…

저쪽 출구도 막아서고 있네.
이 창고에서 안 내보낼 작정인가.

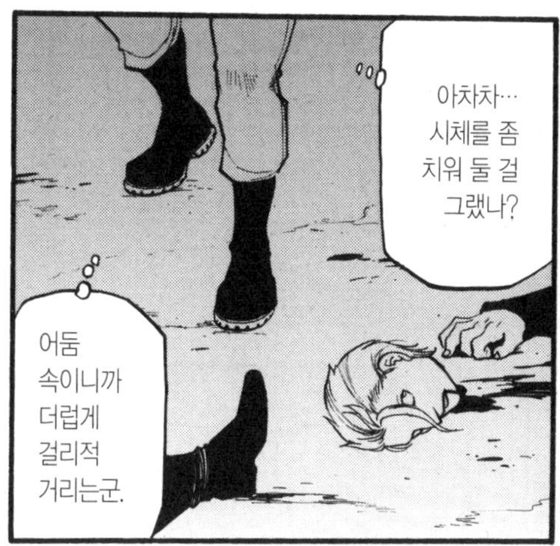
아차차… 시체를 좀 치워 둘 걸 그랬나?
어둠 속이니까 더럽게 걸리적거리는군.

역시 밖으로 나가야겠다.
토ㅡ옹

뻐
엉

시체를
함부로
다루면…
터억

다다다 다다다 다
앗.

슈팟
파바
바

파바

쿠두두두두
ー
쿵

와르르르
와장창
쿠웅
타
닥

오.

달이 참
아름답네.

그대 인생의
마지막
보름달일지도
모른다.
마음껏
느껴라.

그렇군.
왼쪽 씨도
느껴 봐.
번쩍
!

쌩애앵

위험하네,
왼쪽!!
휘잉
덕분에 살았군, 오른쪽.
천만의 말씀.
왼쪽을 쓰러뜨리고 싶다면 나부터 쓰러뜨리시지!

그럴까?
엇.
우왓.

파
슥
슈
팟

흐읍!!
오오 ?!

살을 내주고
뼈를 취하는
전법인가.
흐읍
뿌득
부웅
척
파바
바바바
바바
바바

교묘하게
종이 한 장
차이로
피하는군.
간격을
완벽하게
읽고 있어.

부웅

레프트
훅.
왼쪽 씨의
리치라면
반보 물러나면
안 닿아.
카운터로
왼팔도
가져갈까…
휘익

?!
퍼억

잘려 나간 팔로
리치를 늘리다니,
대단하네.
촤아아아아
후우.
역시 힘에
부치는걸.
쯧!!
이
빈약한
놈!!
분발
해라!!

너한테 찔린
오른 다리가
아직도
아프다고,
소흉.
그깟
상처쯤은
순식간에
고칠 줄
알아야지,
원숭아!!
이반.
앗,
말했다.
왜 그래,
대흉.

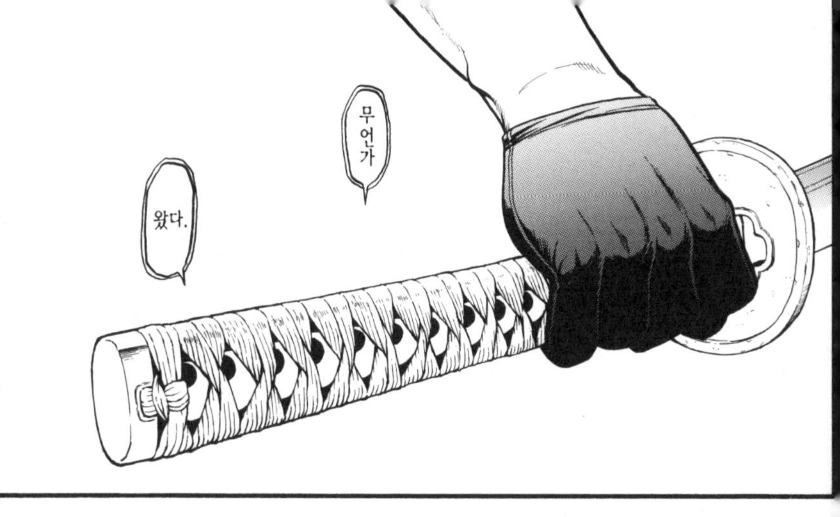
무언가
왔다.

위험한 게
왔다.

이보게들.

내 말씀 좀
묻지.
여기가
신고 화물의
사무소인가?

…….
아닌데요.
꾸욱
꾸욱

여긴
키부시
흥산
이에요.

키부시 흥산은 신고의 자회사지?
글쎄요~? 전 알바라서 그런 쪽은 잘 모르는데.
이봐.
사람을 모아.
와하하하하하하! 시치미 떼지 마시게.

카게모리 곤조가…

콰
당
탕
오오.
키부시 흥산
통화는 계속해도 괜찮네.

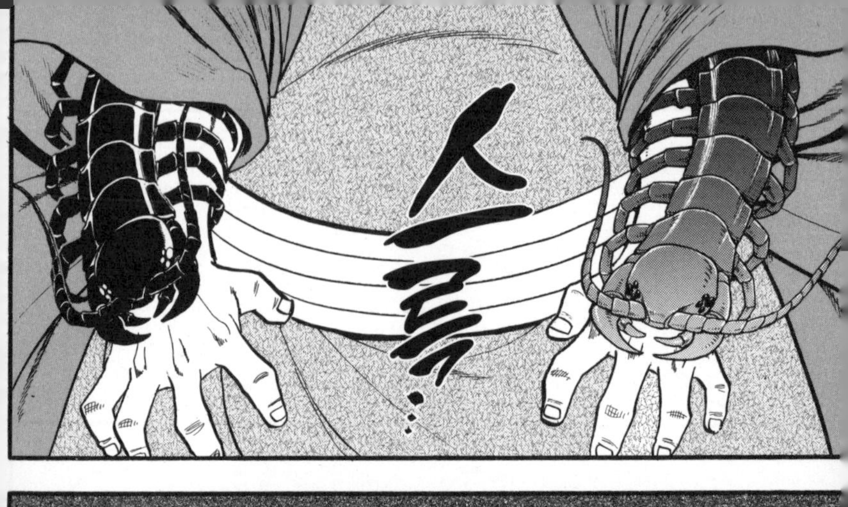
스-륵...

꿈틀
꿈틀
꿈틀
상대해줄 테니
동료를 전부
불러오게나.
꿈틀
꿈틀

황천의 츠가이

오들오들
오들오들

너희들, 왜 그래?
마메가라스가 엄청 떠는데.

……
…….

어째 위험한 놈이라도 온 건가…?
쿠우우우우웅
FM-11
FM-12
FM-13

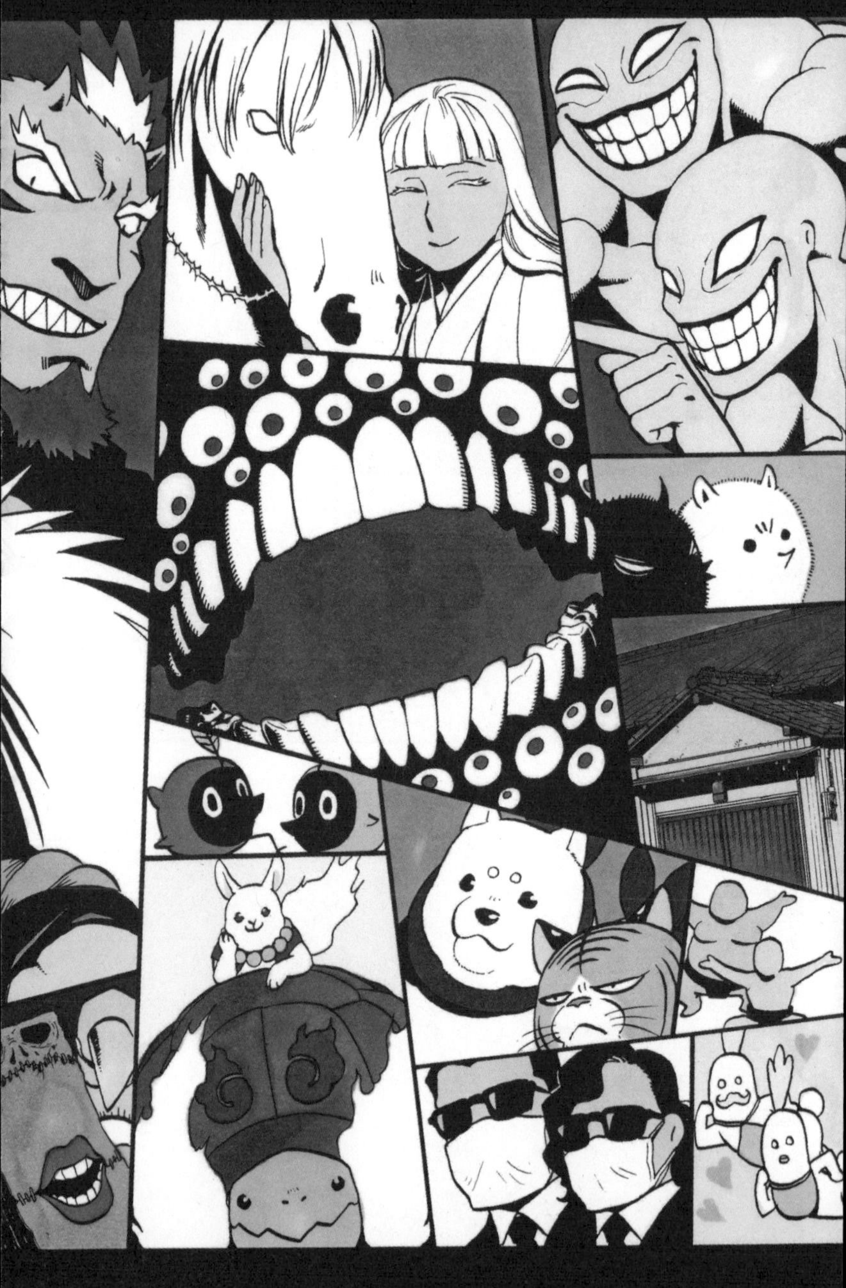

제 22 화 자객과 커피

황천의 소가이

빠악
빠악
빠악

이 영감탱이는 뭐야—아 아아!!!

비켜!!
이 녀석은
초가이
구사자야!!
너희
상대가
아냐!!
초가이는
초가이로
상대해야지
!!
가라!!
나의…
헤보타
씨!!
초가이
구사자
헤보타
씨다!!
으잉?
콰
앙

헤보타 씨—이!!!
뭐야?! 뭔데?!
안 보이는 사람
뭐가 어떻게 된 거야?!
츠가이를 부릴 줄 아는 사람!! 힘을 합쳐서 저 노인네를 해치워!!

아니, 말이야 쉽지….

저 노인네… 대체 몇 쌍이나 데리고 있는 거냐고….

두두두

콰광

쿠-웅
경비실
후들 후들 후들

쿠우..웅
?
뭔 소리지?
경비실

콰아앙
구내 금연

콰
흠!
드
쾅
헙!
콰앙
아자!

쿠웅
경비실
퍼엉
콰앙

웬 할아버지가
새도복싱을
하고 있는데
쿠웅
퍼벙
안 보이는 사람
콰앙
빠캉

주먹질을 할 때마다 건물이 부서진다.
드르르륵
타악

여보세요, 본부입니까? 환각이 보이니까 쉬게 해주십쇼.
뭐?! 뭔 헛소리야? 졸지 말고 경비나 잘 봐!!
망할 블랙 기업!!
엄금

어렵쇼?! 카게모리 당주가 왔잖아?!
쿠-콩
카게모리 곤조가?!

엉망진창 이잖아!!
츠가이의 기척이 너무 많아서 이 녀석들이 혼란에 빠졌어!
오들 오들
이래서야 유르를 찾는 건 무리겠지?

허어?
뭐지, 저게.

마치 카게모리 저택이 통째로 이동한 듯한 기척이구먼!

스튜디오
작업중
그래그래, 그 가위표 한 곳을 먹칠하고….
이렇게요?
맞아! 잘하네! 꼼꼼한걸!

타치카와 씨, 본인은 그림 재능이 없다고 했지만 꽤 센스 있는 거 아냐?
아니, 뭐~ 그런가요?
헤헤헤
난 목욕하고 올 테니까 그대로 계속해줘~!
네—에.

터벅터벅 터벅터벅 터벅

아니, 아니, 아니, 잠깐만. 뭐야 이게?
왜 내가 만화 어시스턴트를 하고 있지?!
오라버니 보고 싶어.

아사는 앞으로 하구레 선생님 어시로 생계를 꾸릴 거야?
장래 희망은 뭐야?
오라버니 보고 싶어.
아… 그래.

부우웅…

여보세요.
오라버니 보고 싶어.
아… 잠깐만. 자리 좀 옮기고.
여긴 잡음이 많아서.

응, 지금 직장.
응.
응, 괜찮아.

엄마 병원비는 어떻게 해결될 것 같아.
나한테 맡겨 둬.

가브, 우리도 휴식….

…아, 맞다.
일하러 갔지.

어라?
아사
혼자야?

평소에는
늘 옆에
가브짱 씨가
붙어 있으니
혼자 있는 모습은
낯설게 느껴질
정도야.

그래요?

저번처럼
자객이 침입하면
저택 안이라도
방심할 수
없잖아.
내가 같이
있어 줄까?

아키오
씨.

뒤에 뭐 숨기고 있는 거 아니에요?

쿠웅

쿵
저기 ….
혼자서도 괜찮아요.
쿵
쿵
괜찮다니까요?
잠깐 ….
쿵
쿵쿵
스톱, 스톱.
쿵
오지 마요!
아키오 씨!
쿵
쿵

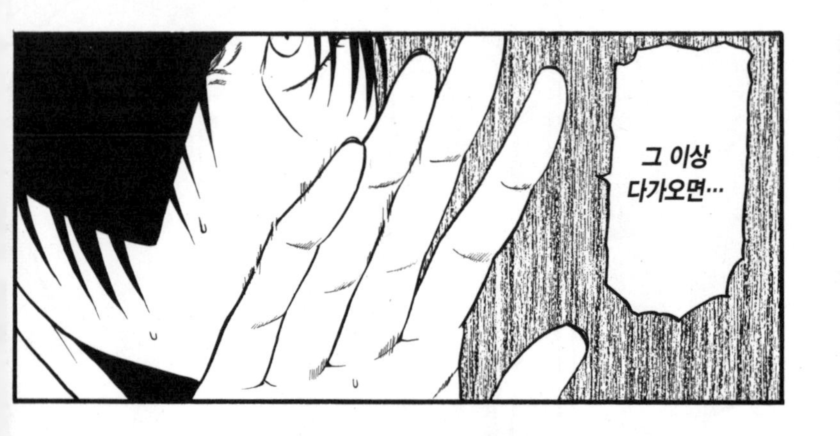
그 이상
다가오면…

끄아
히이와
퍼어-엉
쿠쿠-웅
망했어, 망했다고!! 카게모리 당주가 왔나 봐!!
뭐어?!!
신고 계열 사무소를 모조리 박살 내며 오고 있어!
혼자서!
혼자서?!

아니… 당주가 왔다면 세트 메뉴 같은 나츠키와 후유키도 왔겠지…!!
그 녀석들이 근처에 있을 거야!!

당주 곤조도 위험하지만 후유키의 츠가이 '블랙리스트(염마장)'가 문제야.
붙잡히면 가진 정보를 전부 빼앗기니까….

…하지만
주인을 바꿔서 우리 쪽 츠가이로 만든다면…

정보의 보고 '위스퍼'가 손에 들어오지…!

신고 씨가 내건 현상금 랭킹…
후유키의 목숨과 '블랙리스트'의 포획이 세트로 1억 엔이라고!!
역시 신고 씨야! 통이 크다니까!!

후유키의 츠가이는 전투 타입이 아니지?
우리라도 기회가….
근데 나츠키 쪽은 파워계라고 들었어.

츠가이를 부릴 줄 아는 사람이 한꺼번에 달려든다면 ….
할까 …!!
하자고 !!
까짓거 해보자아
우리 배송 센터 옥상에 나츠키랑 후유키가 있어!
소곤 소곤
TT식품
뒤로 돌아가서 기습해!

일단 후유키부터 해치워!!
'블랙리스트'를 빼앗아!!!

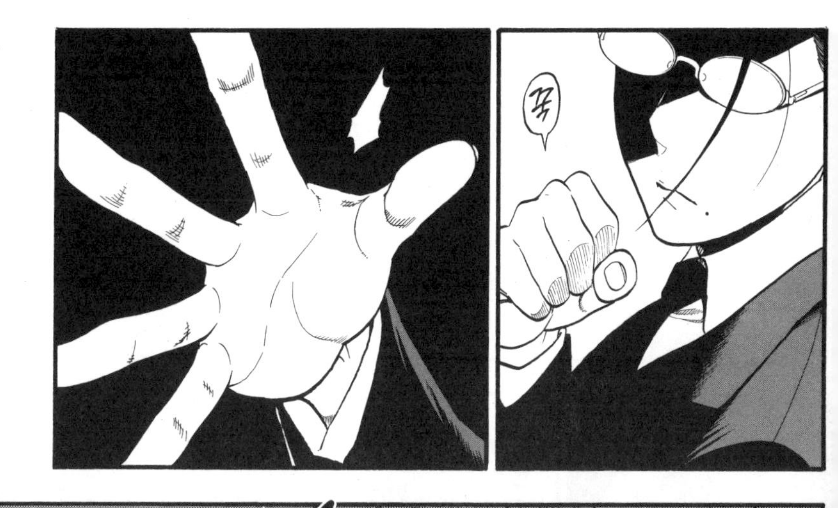
꾹

파아앙

엥?
두욱
두욱
털썩
쿠웅
엥?
TT식품
엥?
추욱
추욱
추욱
추욱
추욱
추욱
추욱
추―욱
추욱

으에
에에에
에에에
에엥?!!
토닥 토닥
후우….

음양아.
이제
나와도
돼.

오지 말라고 했죠? 아키오 씨.
여기부터는 이쪽 영역이라고요.
스튜디오 하구레모노
작업중
꿀꺽
콰지직
당탕당

아이짱.
그 이상 아키오를 먹으면 안 돼요.

정보를 캐내야 하니까.

…….
언제 눈치 챘죠?

위──잉

처음으로 유르 군과 싸운 날…

그는 현장 책임자인 나도 아니고,
토끼와 거북이를 꺼낸 성가신 하루오도 아니고,

츠가이를 꺼내지도 않은 무방비한 네 머리를 노리고 공격했어.

그는 자신에게 살기를 보내는 자에게만 살의로 답하지.

넌 유르 군의 죽음을 바라고 있었어.

저택 습격을
지휘하던 남자를
죽인 것도
입막음이
아니었을까
싶어서
이번에
함정을
파봤더니
딱 걸린
거지.
커피
마실래?

아뇨.
딱히
졸리진
않아서요.
후지무라야마
창고 건은…
히가시무라
쪽에서
진 씨에게
알려준
겁니까?

진 씨가
히가시무라
녀석들과
사이 좋은 줄은
몰랐네요.
사이 좋긴 누가!!

아사는
지금
저택에
없어.
유감이야,
아키오.

피는
이어지지
않았지만
형제니까
믿었는데.

잠자코 잡혀줘, 아키오.
더는 널 다치게 하고 싶지 않아.

그리고 어르신께 용서를 빌자.
나도 같이 거들게.
목숨만이라도
불가능해.
그 사람이 지금의 나를 용서해줄 리 없어.

그래….
작업중
어르신만이 아니라 아사도 지금 저택에 없단 말이지.

그럼
여기를 싹
쓸어버려서
아사가
도망치고
숨을 수 있는
장소를
없애버릴까?
아구레모노

삐걱
삐걱
삐걱
삐걱

내 '야마노카미'는 아이짱이 삼킬 만한 덩치가 아냐.
너무 커서 하루오의 거북이로도 전체를 짓누를 수 없고
토끼가 아무리 빨라봐야 코끼리 앞의 벼룩이나 다름없지.

쿠웅

진지하게 한번 붙어볼래요?
우리.

진심 배틀
좋지~.
나도
끼워주라.
가….
아니…
가브짱 씨는
현장에
갔을 거야.

그렇군… 이 녀석은 가짜야! 츠가이다!
분명 타치카와 마코토의 츠가이가 변신할 수 있는 타입이었지!
어두운 곳에 서서 그림자가 없다는 걸 숨기고…

두웅

머릿속으로
허세네,
속임수네 하면서
열심히 행복회로
굴리고 있는 게
뻔히 보이는데?

안심
하셔.
본인
맞으니까,
망할
아키오!!

FM-2

오오~
풍어로구먼,
풍어.
어르신.
수고
하셨
습니다.

일단
이 녀석들을
전부 맡아도
되겠나?
네.

보자,
너희들.
주인을
바꾸마.

톡
톡
톡
톡
톡
톡
톡

스우우우우
우우우
우우우

이제부터 내가 너희 주인이란다.

하하하! 옳지, 옳지.
북적 북적
북적
다들 착하구먼—♡

츠가이를 여러 쌍 두려고 하면 발생하는 문제…

츠가이에게도 마음이 있으므로 당연히 인간처럼 호불호 등이 존재한다.

상성이 나쁜 츠가이들과 계약하면 내분이 일어나며 최악의 경우에는 주인에게도 해를 끼친다.

―그러나 츠가이들의 친밀도를 유지해서 상성을 좋게 만드는 츠가이가 있다.

카게모리 곤조의 츠가이는 '백귀야행'.

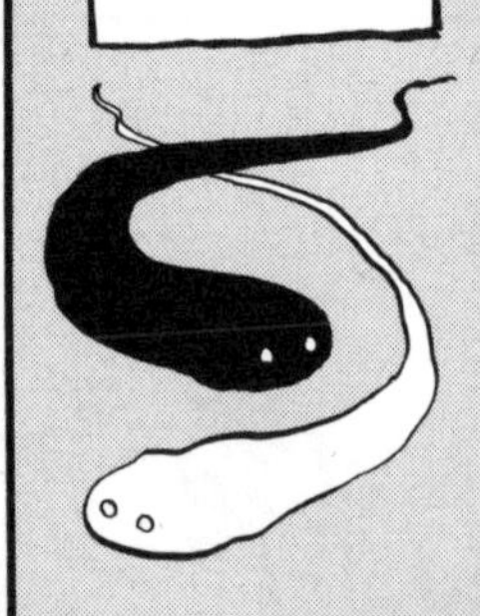

그게 바로
이
'백귀야행'!!

이 츠가이를 가진
카게모리 곤조는
아무 거리낌 없이
츠가이와 마음껏
계약하는 게
가능했다!!

'해'를
써서
야생
츠가이를
무더기로
만들고,

카게모리
곤조가
전부 회수한
다음,

쿠로야 후유키가
그 츠가이에게서
정보를 모조리
훔쳐낸다….

뭐라고?!
'해'?!

당주와 쿠로야 남매와 가브 얘기는 들었지만
아사가 온다는 건 못 들었어!!
!

아스마! 너 알고 있었냐?!
전혀요.
신께 맹세코.
헤에….
아사가 와 있다고?
이반은 뭘 하고 있어?!
곤조에게 보내!!
뭐?! 그쪽에 없다고?!

휘릭
…망할 자식!
뭘 위해 거금을
치렀…

과아악

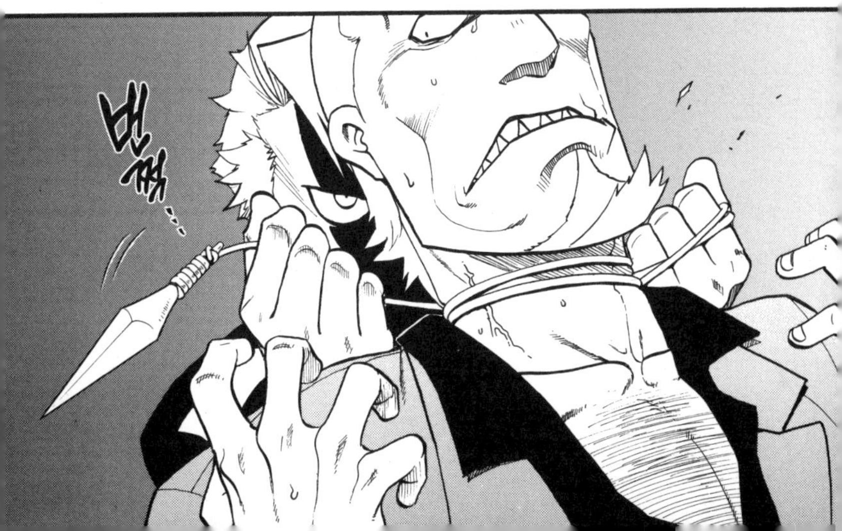
번쩍…

아스마도, 요자쿠라도 꼼짝 마.
큭…
크흑
수상한 낌새를 보이면 숨통을 조일 거다.

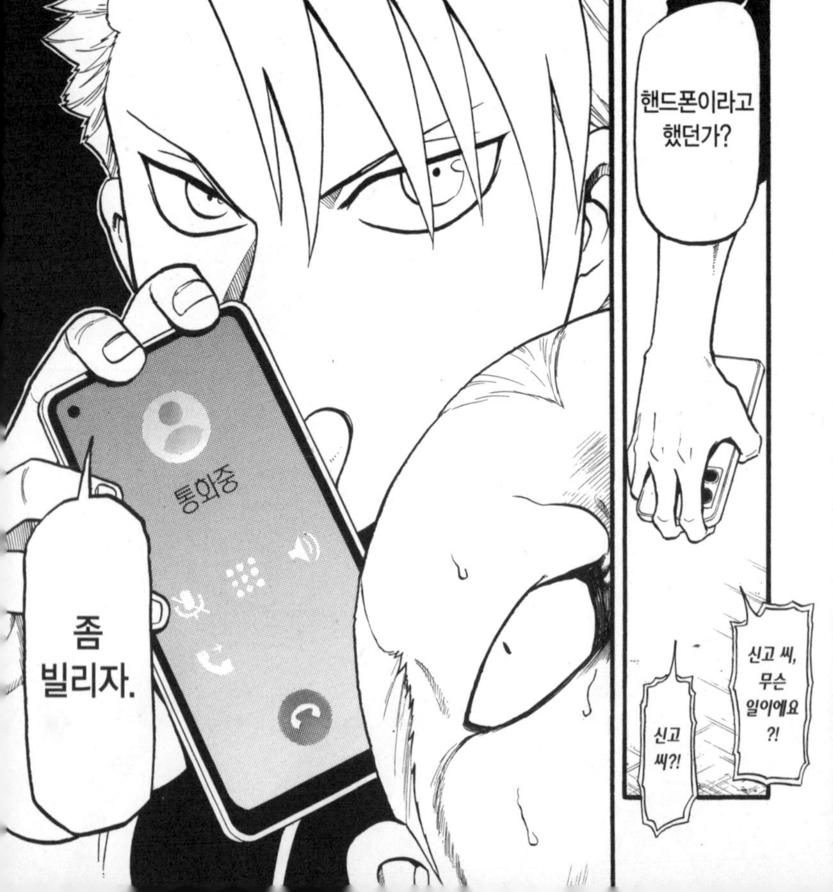
핸드폰이라고 했던가?
신고 씨, 무슨 일이에요?!
신고 씨?!
통화중
좀 빌리자.

황천의 츠가이

노려라, 홍백

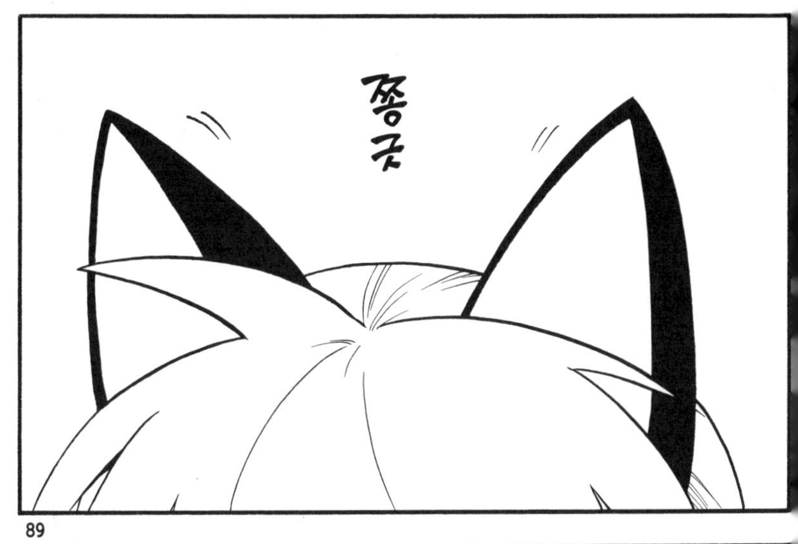
쫑긋

그렇군
…….
현장에
나간 쪽이
타치카와
마코토의
츠가이였나!

작업중
변신계
츠가이 구사자가
들어온 덕분에
작전의 폭이
넓어졌지.

타치카와 씨가
이 방에서
나오도록
가족인 척
전화한 건
나야.
그녀는
연기도
잘하더군.
타이밍 좋게
아사가
혼자 남았다고
생각해서
보기 좋게
걸려들었군요.
거짓말이
특기인 여자는
싫네요.

네 츠가이의 뿔!!
누구한테 당한 건지 벌써 까먹은 건 아니지, 아키오 구~운!!
콰아앙

뚜둑 뚜둑
뚜둑 뚜둑 뚜둑
상하 관계는
처음 만난 날
확실히 인지시켜
줬을 텐데
말이야~!!

콰자아

쑤욱
오우우오오오
오오오

꿀꺽
씹고 뜯고 맛보고 즐기렴, 가브리엘.
덥석
진~ 청소를 부탁해~.

그건 걱정 마세요.
단, 아키오와 야마노카미는 살려 둬야 합니다.

죽이지 않을 자신이
없는데!!

제 23 화 우는 아이와 나쁜 아이

덜컹 덜컹 덜컹

덜컹 덜컹
덜컹 덜컹
지진?
영차?
어영차?

도망쳐요, 도망쳐. 다들 도망쳐요!
타치카와 씨?
무슨 일이에요?
탁 탁 탁 탁

진 씨의 전언!
하구레 선생님 별채 근처에 가지 말래요.
다른 사람들에게도 알려주세요!
무슨 일이 ….
두 두 두 두 두

!!
저길 봐!!

아키오 씨가 '야마노 카미'를 꺼냈잖아?!
또 밖에서 적이 침입한 건가요?!

밖이라고 해야하나…
안에 있었던 것 같아요. 한참 전부터.

끼아
우오오오오오오
콰직
콰직
슈웅
끼아아아

더
풍
엉
아무래도 가브리엘과는 상성이 안 좋네.
'야마카제(山風)'.
우선 가브짱 씨를 해치워.
우오오옹

슈웅
켁.

콰앙

야, 가브리엘!!
적만 볼 게 아니라 주인을 잘 지켜야지!!

하여간 주인 닮아서 과격하다니까!!

하루오
녀석…!
쾅
!!!
'타니
카제
(谷風)'
!!
츠응
!!

말똥
흠칫

빠카앙

거북아!!
파스슥
씨알도 안 먹히네!!

꼼짝 마셔!!
우오오
오오오오
이 자식을 다 뜯어먹고 나면 다음은 네 차례니까, 아키오!!

가브짱 씨.
츠가이도, 아키오도 죽이면 안 됩니다!!!
어차피 이 자식들은 어르신 손에 죽을 운명이잖아!!!

덥써억
콰
드득
텅 텅
동

덜컹 덜컹 덜컹
쿠쿠웅…
드르렁…
어르신이 돌아오시기 전에 하구레 선생님께 죽을걸요.
목욕중
작업중
후두두두둑

아까 뭐라고 했냐, 망할 아키오.

'여길 싹 쓸어버려서 아사가 도망치고 숨을 수 있는 장소를 없애겠다'고—?

퍼엉
우오오오
용서 못 해….

태어난 순간부터 어른들이 호시탐탐 죽이려 하고!
감옥에 갇혀서!

자유롭게 살 수 있는 하계와 단절된 채 살았어!

간신히 결계 밖으로 도망쳐 나와 부모님과 하계로 내려왔건만, 그 하계에서도 목숨을 노리는 놈들이 나타나고!!
몇 년이나 도망 다니며 겨우 안정을 찾았다고 생각했더니, 부모님이 납치당했지!!
결국 할머니조차 믿을 수 없게 됐고!!
아사는 이제 어디에도 갈 곳이 없다고!!!

카게모리 저택은
안에 있으면
그나마 자유롭게
살 수 있는
장소야!!
좁지만
안심하고
살 수 있는 장소를
가까스로
찾아냈는데!!

이 자식들은
그것마저
빼앗으려
하고 있어!!!
용서할 수
있을 리가
없잖아!!!

퍼
퍼엉
오
마마마마마마
마마마마마마
오오오오오
야마 카제.
타니 카제.
그만 됐어.
마지막까지 나랑 함께할 필요는 없어.

계약 해제다.
고향으로 돌아가.

펑
펑

슝
앗….
슈웅
튄다!!

잊은 거냐, 아키오.
카게모리 저택에는 결계가 처져 있어.

……!!
지잉

쿵
쿠웅

나중에 회수하지.

아키오 …

안 됩니다!!
가브짱!!!

저 바보….

나쁜
아이는
없느냐….
우는
아이는
없느냐.

황천의 츠가이

가브짱.
죽이면 안 돼.

…
막지 마, 나츠키 언니.

안 돼.
토닥

멋대로 아사의 마음을 대변해서 앞서 나가면 안 돼.

우는
아이는
없느냐.

휴
휴
예, 예,
알겠습니다~.
찰싹
지금 당장은
안 죽이도록
할게.

나쁜
아이는
없느냐.

나츠키랑 '나모미하기' …
…도 이쪽에 있었나.

진 씨에, 하루오에, 가브짱 씨에, 나츠키까지.
저 하나 잡겠다고 전력을 많이도 투입했네요.

네 힘을 과소평가하지 않기 때문이다.

죽이지 않고 확실하게 살려서 잡는 게 목적이야.
어중간한 전력으로는 여유가 없어서 어느 쪽이든가 사망자가 나왔겠지.

저를
그렇게
높이 평가하고
있었다니
영광이네요.

작업중
투둑…

쿠웅 쿠웅 콰르르
?!!
깜짝

앗!!
쿠다닥

아키오!
거기 서, 아키오!

쫓지
않아도
되는가?
괜찮아.

쫓아오질 않아…?
묘하군…

저 녀석은 최악의 결말을 맞이하게 될 테니까.

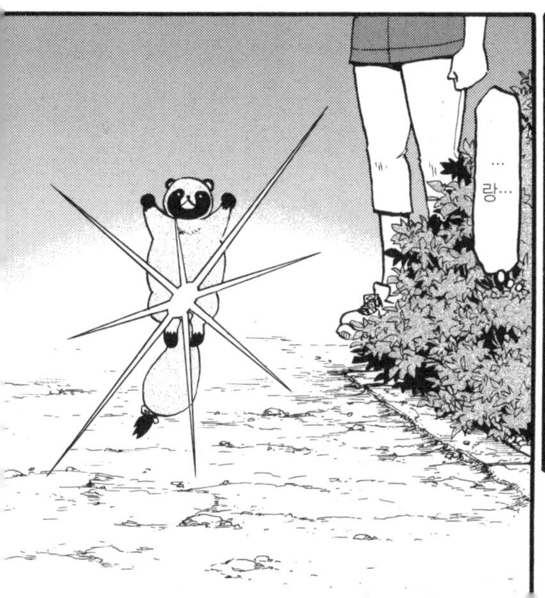
…랑…

타치카와 마코토!!

화
야

주머니
….

쓰우욱
우웁
…
최악
이야.

신고
씨?!
여보세요
?!

어—
이건…
여기에 대고 얘기하면 되는 거지?
신고 씨?!
저기요—.

맞아요.
화면은 괜히 건드리지 말고….
꼼짝 마라, 아스마.
숨통을 조이겠다고 했을 텐데.

네, 네.

그대로 졸라 죽여도 괜찮은데 말이죠.
중얼

응?
뭐라고 했어?
생글!
아니요.

이봐, 너.
신고 아저씨 부하지?
?!
누구야 ?!
나다.
아니, 내가 누군데??!

쌍둥이 중 오빠 쪽.
!!

히가시 무라의 유르야!
왜 신고 씨 폰을 쓰고 있지?!

아저씨는 내가 인질로 잡았다.
살리는 것도 죽이는 것도, 내 마음이지.
악당이 할 법한 대사….
뭐?!

아저씨의 목숨이 아깝다면 인질로 잡은 아이들을 풀어줘.
뭐가 어째 ?!

꽈악
꼬엑
꼬으어헉

꼬으어헉
너 무슨 짓이야!!
죽고 싶냐!!
신고 씨!!
어, 좋네.
날 죽이고 싶은 놈은 일로 와.

…정말 밑도 끝도 없는 꼬맹이야.
꿀꺽

'풍신'.

싹
둑
?!
부우웅

컥….
팔랑
우당탕탕
휘잉
휘이잉
…이 자식….

'뇌신'.

지지직
파

탱그!!
…랑

파직!

지직
파

...!!

야만적이라는 얘길 듣긴 했는데 생각보다 더 하잖아.
인질이 잡힌 상황인데도 날뛰다니.
COFFEE

하계 사람들은
너희와 다르게
다들
문명인이거든.
얘기하면
통한다니까?

이봐요,
유르 군 씨.
차분하게
대화나
하자고.

씨익!
난
이래 보여도
평화주의자
거든?

황천의 츠가이

흐아아…

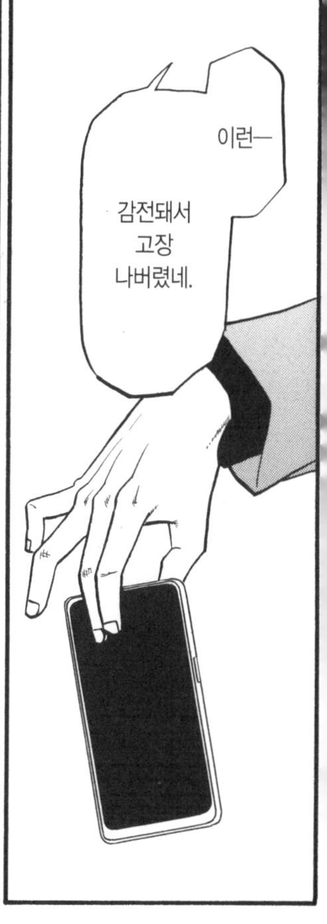
이런—
감전돼서 고장 나버렸네.

이래서 '뇌신'은 함부로 쓰고 싶지 않단 말이지.

이 녀석들은 내 츠가이
'풍신 뇌신'.

이름 그대로
바람을 조종하는 '풍신'과

번개를 조종하는 '뇌신'이다.

제 24 화 풍신과 뇌신

그 애송이가 신고 씨한테 무슨 수작을 부렸나 봐.
인질을 안 풀어주면 신고 씨가 어떻게 돼도 모른댔는데…
그 후에 숨넘어가는 소리가 들리더니 뚝 끊겼어.
틀렸어. 내 전화도 안 받아.

일단 신고 씨 쪽으로 몇 명 보내!
인질 담당 쪽으로도 연락하고!
탁 탁 탁
너 지금 어디야?
네? 뭐라고요?
제2 게이트 근처요.

좋아, 신고 씨랑 가깝군! 지금 바로 가서 상황을 확인해 봐!
우리도 곧장 갈 테니까!
신고 씨가 계신 곳에 가면 되는 거죠?
어딘데요?

아, 그럼 요 근처네요.
갈게요.
…그런데 무슨 상황인지 잘 몰라서 그러는데…
신고의 부하인가?
그런 것 같네.
슥
슥

네?! 쌍둥이 오빠요?
!
야만족이란 소문이 도는 녀석 말이죠?
습격 당했다면 어떻게 해야….
좋아! 저 녀석, 유르한테 가려는 모양이야!

134

너희들 할 수 있겠어?
저 인간에게 ㅊ가이가 없어—.
안 들키고 할 수 있어—.

밥 좀 먹으려고 했는데 곤란하네….
얼른 가!!
누구 덕에 먹고 사는 건데
죄송해요, 바로 갈게요!!

큭?!
푸욱
쭈웁
쭈웁
쭈웁
익.
악.
억.
헉.
털썩
탁
야,
왜 그래!
이상한
소리가
났는데.
Mammy Fart

이봐?!

아무 일도 아니에요.
실수로 폰을 떨어뜨렸어요.

확인차 한 번 더 신고 씨가 어디 계신지 알려주세요.

그리고 인질이 있는 위치도 알려주세요.

TT물류 사무소…
2층 말이죠?

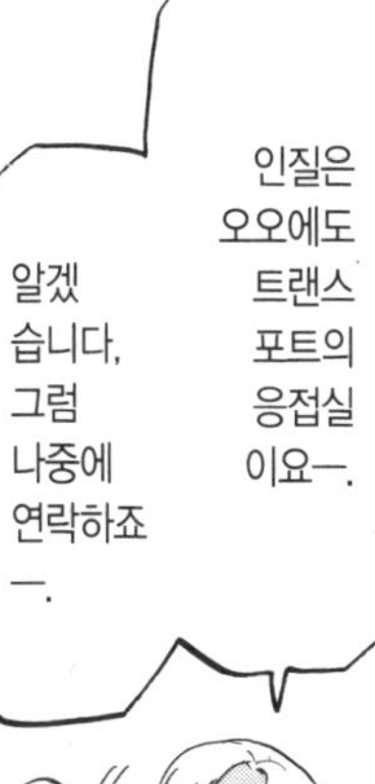
인질은 오오에도 트랜스포트의 응접실이요―.
알겠습니다, 그럼 나중에 연락하죠―.

좋~아, 우선 유르한테 갈까.
네.

귀엽게 생겨선 무서운 능력을 가졌잖아, 네 츠가이.

…과연.
작정하면 말을 안 듣는 쌍둥이를 마메가라스로 조종할 수도 있겠는데.

걱정도 팔자다.
지금은 유르를 구출할 생각이나 해라.

….

Staff only

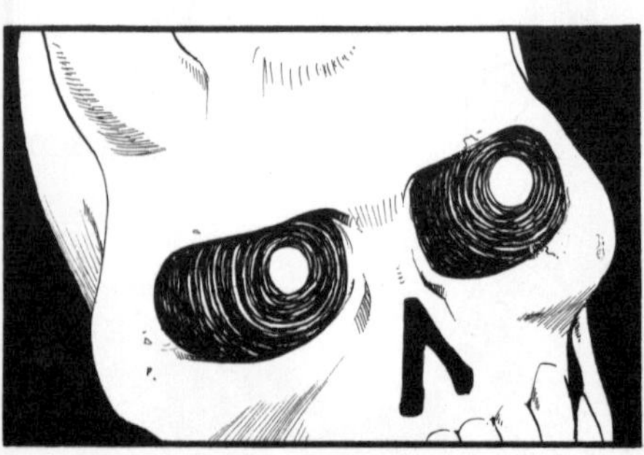

왜 그러죠?
요자쿠라.

엉?

…뭔가
왔군.

철컥
안녕
하십니
—까.

안 보이는 사람
응? 뭔 일이야?
아, 그게— 신고 씨랑 갑자기 연락이 안 되니까 가서 확인해보라고 해서요.

무슨 일이 있나 걱정돼서 왔는데

괜한
걱정이었나

보
네
요.

유르 발견!
그리고 카게모리 아스마랑 …
아까 그 츠가이!
어어?!! 이쪽도 뭔가 꺼내 놨잖아!!

이 아저씨
츠가이는
번개와 바람을
조종해!!

!!
척
척
풍신!!!

에잇!!
부웅

슈파
파바

바람으로
만든
칼날 같은
건가!!

슈
욱

뇌신!!!
파
지
직

파
직
파
직
크윽
…!!

팔랑…
엥?

슈우

파확

하?
엉?
뭐야?

유르?!

아스마, 너! 뭔 짓이야!!
긴급 피난이요.

어렵사리 잡은 유르 군을 다시 적의 손에 넘기고 싶진 않으시죠?
생긋!
다른 곳으로 옮겼습니다.

어, 저기….

유르가 없다면 우리도 볼일 없어.
이만 가보겠습니다~.

풍신.

또 야아아아아아아아야앗
후
화아앗

…
어이쿠야
!!!

타데라, 괜찮나….
…뭐야, 어디 갔어?!
헐레벌떡
젠장, 튀는 속도 하난 끝내주는구만!!

삐약!

아까랑
다르게
천천히
나는군.
쫓아가기
쉬워서
살았네.

까닥

응?
따라오란
뜻인가?

엇차차

유르, 괜찮냐?!
데라 씨!

미안.
그 번개에 당했거든.
이제야 겨우 몸이 움직이네.

그래서? 이 녀석은?
잠깐, 잠깐. 총은 치워줘.

이 녀석은 아스마의 츠가이로 이름은 요자쿠라야.
아군…? 이랄까, 아군에 가까운? 녀석이지.

처음에 잡혔을 때, 이 녀석 뱃속에서 얘기를 들었어.

뭐야,
이게!!
나방
군체인가!!

난폭한 짓을
해서
미안하다,
유르 군.
으앗,
말했어!!

말을 하면
대화를 통해
지능을 유추하게
되니까
입을 다물고
멍청한 초가이를
연기하고 있지.
신고 하야토를
방심시키기
위해서.
신고?
아스마의
백부야.

미리
말하겠는데,
유르 군.
내 주인
아스마는
네 적이
아니야.

아스마는
신고 하야토를
찢어 죽이고
싶을 만큼
증오하고 있어.

카게모리 곤조는 이번 일을 기회로 증거를 파악해 배신자들을 솎아낼 심산이야.
아스마는 그 신고라는 놈을 왜 그렇게 미워하는 건데?
자기 백부라며?
그런 상황에 신고를 무너뜨리고 싶어 하는 아스마가 가담했지.
신고 일족은 아스마의 어머니인 이오리를 어릴 적부터 일족의 짐짝, 쓸모없는 여자라며 핍박해왔어.

그런 쓸모없는 여자가 큰 힘을 가진 카게모리 당주 눈에 들었을 때는 참으로 큰 난리가 났었지.
하지만 아스마의 어머니에게는 그 어떤 감사 인사도, 보답도 없었지.
비열한 신고는 카게모리의 인척이란 점을 최대한 이용해
사업을 확장하며 지금의 재산을 쌓아 올렸어.

놈의
욕심에는
한도가
없어.
카게모리를 통해서
'해'와 '봉'에 대해
알게 되자,
이번에는
그걸 차지하기 위해
움직이기
시작했지.

마치
불에
뛰어드는
나방처럼…
…아니,
이건
히가시무라
녀석들도
마찬가진가.
거
죄송하게
됐수다.

늘 곁에
있으면
직접
신고의 목을
날려버리면
되는 거
아냐?

우리
'금오옥토'는
'풍신뇌신'과
상성이
대단히 나빠.

번개에
타버리고
바람에
날아가지.

우리는
'풍신뇌신'을
이길 수 없어.
아스마는
그 점을
잘 알기 때문에
신고를
따르는 척하고
있는 거야.

다정한
아이야.
나와
아사기리를
위해서
줄곧 참으며
살아왔어.

다정하다고
해도
그 미소는
엄청나게
수상쩍어
보이는데.
생긋!
그 아이는
왜 그런
음흉한
얼굴로
자라버린
걸까.
얼굴
때문에
손해
보고
있어.

그게 진짜야?
어, 알았어.

카게모리 당주랑 아사가 왔다는군.
신고 씨하고는 연락이 안 돼.

쌍둥이 남자애 쪽이?
신고 씨를 잡았다고?
인질을 풀어 달라고 ….
속닥
속닥
속닥
속닥
여긴 아직 안 들켰겠지?

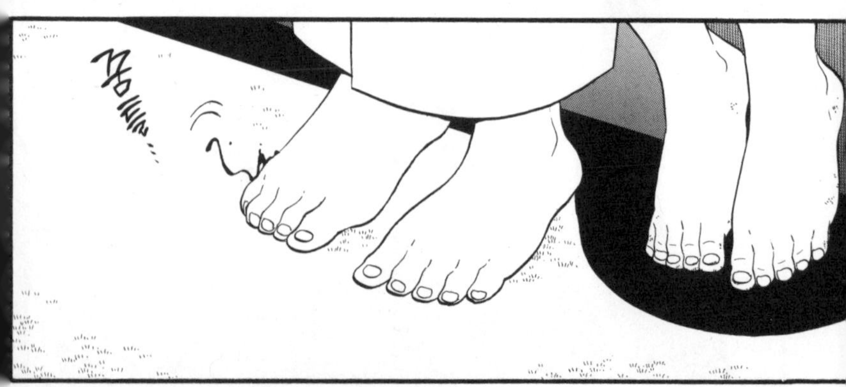

꾸물
꿈틀
꿈틀

꿈틀 꿈틀 꿈틀

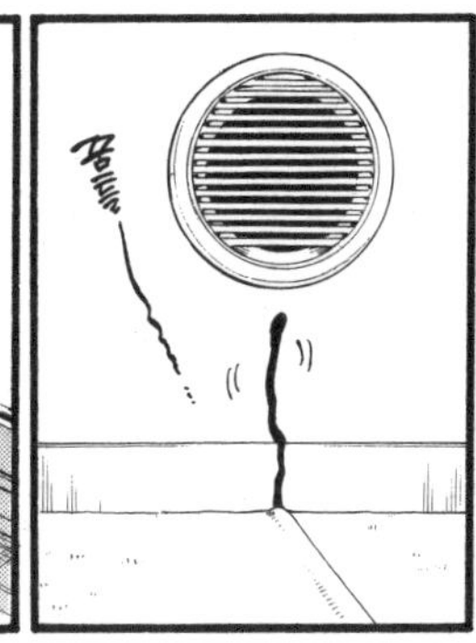
꿈틀—…

꿈틀—…
꿈틀 꿈틀 꿈틀

꿈틀
꿈틀
꿈틀

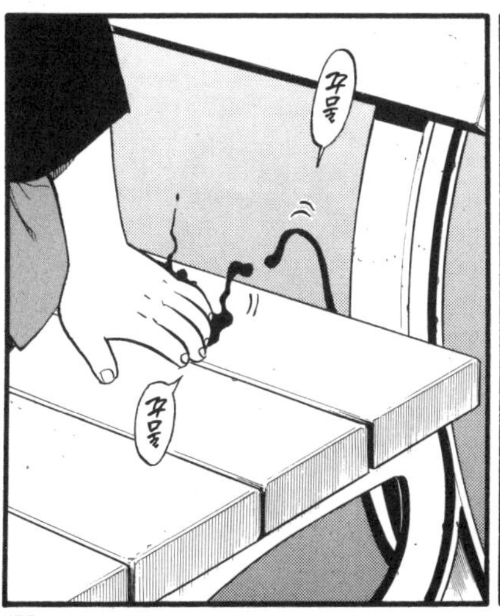
꾸물
꾸물

헥 헥

그런데 마을 아이랑 같이 갇혀 있어.
감시자도 전부 츠가이 구사자라서 탈출하긴 힘든 것 같아….
꾸물꾸물
이런~.

와!
내 짝을 찾았어!!
해냈군요!!

마을을 습격한 적일까요?
응.
납치해서 유르랑 교섭할 인질로 쓸 거래.
어쩐지 아무리 기다려도 나올 생각을 않더라니.
아주 든든한걸요! 그럼 좌우 님께 도와달라고 하죠!
헤헤헤헤헤헤헤헤
이러니저러니 해도 우린 좌우 님이랑 츠친이니까!

그리고 지금 쌍둥이가 두 명 다 근처에 있는 것 같대.
유르 씨랑 진짜 아사 씨가요?!

아사는… 아마도 내 짝을 미워할 테고, 유르도…
내가 그런 짓을 했으니까.
도와달란 말은 못 해….

믿어 봅시다.
유르 씨는 당신을 만나서 하고 싶은 얘기가 많다고 했어요.

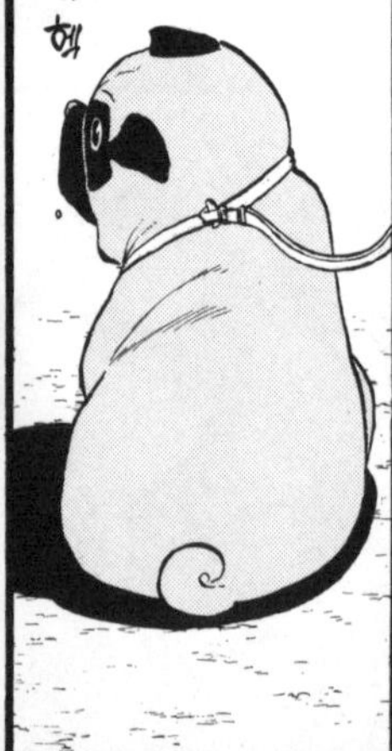
화를 내더라도 분명 와줄 거예요.
헥 헥 헥 헥 헥 헥 헥 헥 헥 헥

…그런데 어떻게 적의 눈을 피해서 유르만 찾지?

아까부터 이 일대에는 츠가이의 기척이 우글거려서…
적인지 아군인지, 좌우 님은 어디에 있는지 전혀 모르겠어.
TT
TT 물류

이~음….

…아!

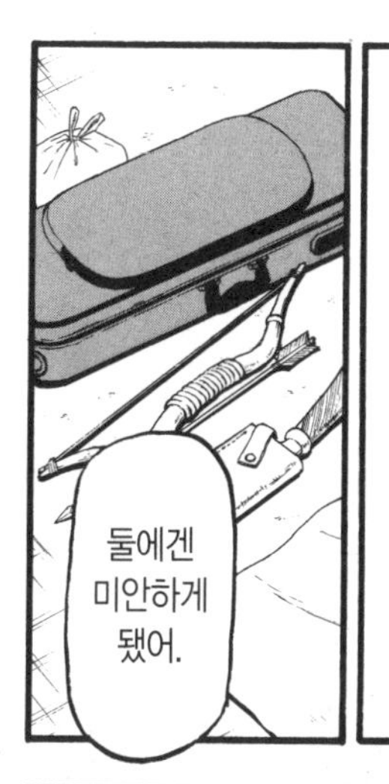
둘에겐 미안하게 됐어.

설명을 안 한 탓에 고생하게 했군.
누가 아니래. 미리 설명해 줬으면 좋았잖아.
이쪽에 이득이 된다면 협력할 수도 있으니까.

몰래 연락을 시도하면 신고가 낌새를 알아챘을 수도 있어.
아스마를 지키기 위해서 최소한의 정보 교환밖에 하고 싶지 않았다.

아, 그래!
카게모리 진도 비슷한 얘기를 했어!
사정은 알겠다.
irl's Bar
L&S
Love and Sincerity
페트병은 씻어서 버려라
적은 유르 군이 한계에 있는 걸 알고 이런 짓을 벌였지.
게다가 히가시무라에서 가짜 아사 씨와 아이를 인질로 납치할 수 있는 힘을 가진 녀석——.

츠가이 구사자를 잔뜩 거느렸고 욕심 많은 놈…
있군.
있죠.
마침 잘됐네.
우리도 그 녀석들을 일망타진하고 싶으니까 도와주지.

그럼 당일 현장에서 보자고.
돌아가도 돼, 타데라.
이봐, 이봐, 이봐!!
작전을 좀 더 치밀하게 세워야 하는 거 아냐?
몰래 그러다가 적에게 낌새를 들키고 싶지 않아.
현장에서 임기응변으로 대처한다.
임기응변.

하나만 당부하지.
아마 현장에 아스마가 있을 텐데, 마주쳐도 적처럼 행동해줘.

그는 우리의 적이 아니야.
만나도 공격하지 마.

그리고 이건 아사 씨의 전언.
오라버니에게 잊지 말고 전해주세요.
사진이에요
그런 느낌이었어.
얼렁뚱땅.
네가 할 말이냐?

최근에 신고 밑에 뛰어난 츠가이 구사자가 들어왔어.
그 녀석한테 들키고 싶지 않아서 필요 이상으로 신중하게 행동했지.

크고 작은 칼의 츠가이를 부리는 남자야.
조심해.
!
그 녀석이라면!

요상한 치한!
요사노 이반.

치한?
여성에게 몹쓸 장난을 치는 남자야.
그런 행위를 하는 여자는 치녀

용서할 수 없군. 만 번 죽어 마땅해.
할복 감이야.
난 아직도 네 윤리관의 밸런스를 잘 모르겠다.
이 나라에서 치한은 죽을죄는 아냐

그 치한이랑
이반!
아까 잠깐 붙어봤는데….

너희 남매의 부모님에 대해 아는 것 같더라.

불길~한 느낌으로 대충 넘어가더군.

지금
좌우 님이
그 녀석을
생포하려고
싸우고 있어.

— 좋아!
좌우 님을
도우러 가자,
데라 씨!
오냐.
라이플
가져올게.

요자쿠라
씨는
우릴 도와줄
생각…
난
아스마의
명령만
듣는다.
그러
시겠죠
—.

….

봉화다.
엉?
저기.
저거
말야.
어디?

불난 거 아냐?
아니, 틀림없어.
히가시무라에서 쓰는 방식이야.

산과 마을에서 단지랑 자주 썼지.

'도움'
'요청'

…
단지가 도움을 요청하고 있어.

그 녀석, 하계에서 짝을 찾겠다고 했지.
그런데 여기 와 있다는 건….

…어느 쪽으로 갈래?

인질?
아니면, 부모님을 찾을 단서?

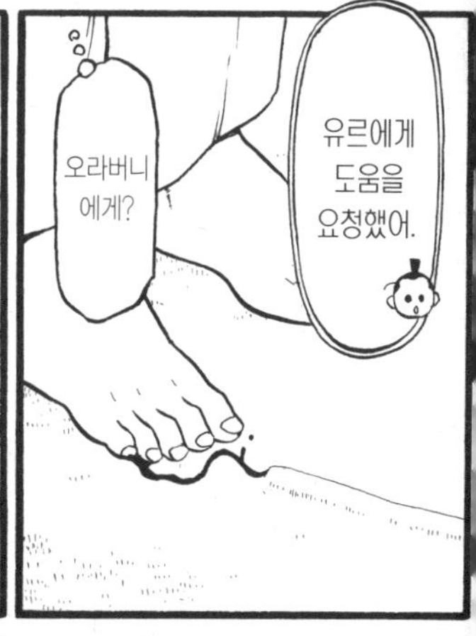
유르에게 도움을 요청했어.
오라버니 에게?

봉화를 눈치채고 와 주면 좋겠는데….
도우러 와 주려나 ….

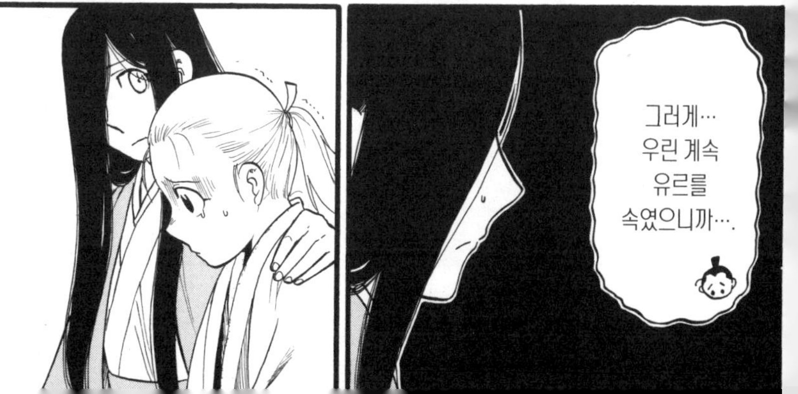
그러게… 우린 계속 유르를 속였으니까….

걱정 마,
아자미.
솔
솔
분명 우릴
구하러
올 거야.
솔

누가?
솔
솔
솔
오라버니.

오라버니는
아자미를
절대로 버리지
않을 거야.

유르
오빠….
…응.

오라버니,
눈치채 줘….
이 사람들은
전부 츠가이
구사자야.

오라버니…

유르 오빠…

히가시무라에서 쓰는 봉화로 '도와줘'라길래….

다음 권에 계속

미세 전류
찌리리릭 찌릭
찌릿 찌릿
아따— 시원 하구만—

외양간 일기 왜 하필 그런 걸 편

외양간 일기 스핀오프 (안 합니다) 편

지구 밖 생명체가 아니라니까요

유혹

7권에서 계속!!

여동생 VS
여동생?!

맹위를 떨치는 '해(解)'!

철, 바위,
강철이
우는
소리는

더욱 날카롭게 변하고──……

황천의 츠가이 7

BRACE OF UNDERWORLD

다음 권도 기대해주세요!!

챔프 코믹스

황천의 츠가이 6

2024년 8월 23일 초판 인쇄　2024년 8월 31일 초판 발행

저자 ·········· Hiromu Arakawa

번　역 : 원성민　　**발행인** : 황민호
편집장 : 이봉석
책임편집 : 조동빈/장숙희/윤찬영/옥지원/이채은/ 김정택
발행처 : 대원씨아이(주)
서울특별시 용산구 한강대로 15길 9-12 전화 : 2071-2000　FAX : 797-1023
1992년 5월 11일 등록 제 1992-000026호

ISBN 979-11-7288-007-1 07830
ISBN 979-11-6918-459-5 (세트)

· 문의 영업 02)2071-2075 / 편집 02)2071-2027